神奇校车

穿越飓风

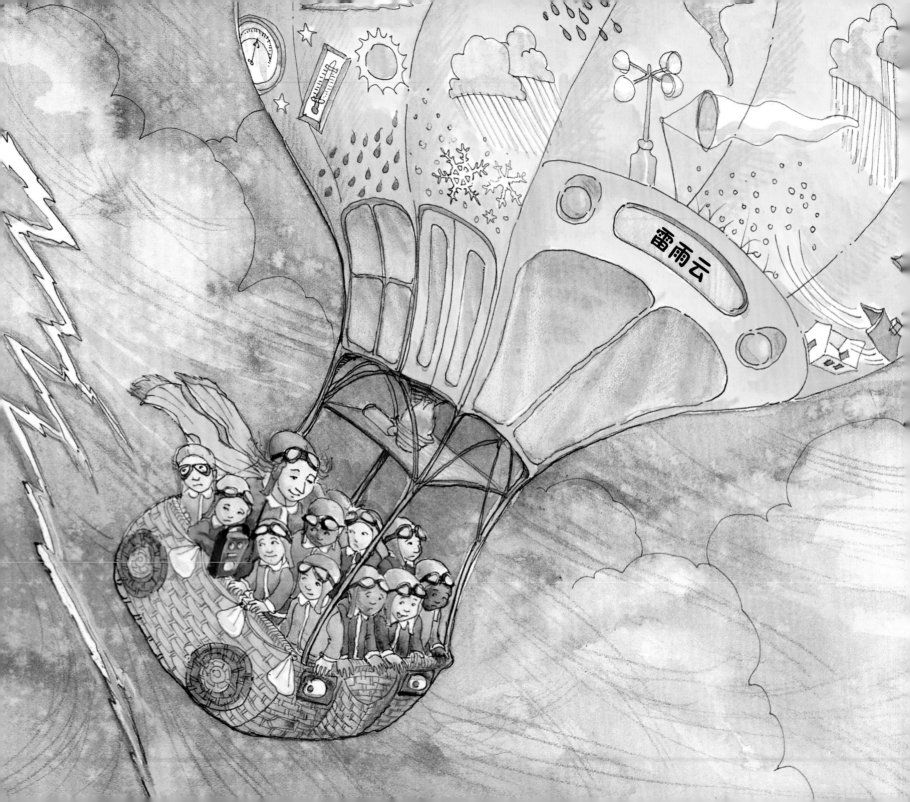

The Magic School Bus

神奇校车

穿越飓风

[美]乔安娜·柯尔 文　[美]布鲁斯·迪根 图　蒲公英童书馆 译

贵州出版集团 贵州人民出版社

感谢美国国家飓风中心主任罗伯特·C·谢茨博士，美国特拉华州立大学气象专家丹尼尔·莱瑟斯博士，他们为本书的出版给予了热情的帮助。

Published by arrangement with scholastic Inc.,557 Broadway,New York,NY10012,USA
SCHOLASTIC,THE MAGIC SCHOOL BUS,《神奇校车》 and associated logos are trademarks and/or registered trademarks of Scholastic Inc.
本书由Scholastic 出版社授权贵州人民出版社在中国大陆地区独家出版、发行

图书在版编目（CIP）数据

穿越飓风 / （美）柯尔著；（美）迪根绘；蒲公英童书馆译.
—贵阳：贵州人民出版社，2010.12
（神奇校车·第1辑）
ISBN 978-7-221-09194-9

Ⅰ.①穿… Ⅱ.①柯… ②迪… ③蒲… Ⅲ.①台风—儿童读物 Ⅳ.①P444-49

中国版本图书馆CIP数据核字(2010)第222199号

神奇校车·图画版⑦

穿越飓风

文 / [美]乔安娜·柯尔

图 / [美]布鲁斯·迪根

译 / 蒲公英童书馆

策划 / 远流经典

执行策划 / 颜小鹂

责任编辑 / 苏 桦 张丽娜 静 博

美术编辑 / 曾 念 王 晓 陈田田

责任校译 / 汪晓英 责任印制 / 于翠云

出版发行 / 贵州出版集团 贵州人民出版社

地址 / 贵阳市观山湖区会展东路SOHO办公区A座

电话 / 010-85805785（编辑部）

印刷 / 北京华联印刷有限公司（010-87110703）

版次 / 2011年1月第一版 印次 / 2016年10月第二十一次印刷

成品尺寸 / 252mm×212mm 印张 / 3 定价 / 12.00元

蒲公英童书馆官方微博 / weibo.com/poogoyo

蒲公英童书馆微信公众号 / pugongyingkids

蒲公英童书馆 / www.poogoyo.com

蒲公英检索号 / 110011107

献给《神奇校车》的编辑菲比·叶，你是我们的阳光！
——乔安娜·柯尔和布鲁斯·迪根

你可曾听说过我们的卷毛老师?

她穿的衣服很古怪,她开的校车很疯狂,她的校外课堂很神奇。无论我们在她的课堂上学习什么,最后都能去亲身体验一次!

同学们,为了更好地了解天气,我们要先认识一下太阳。

这可是个热门话题哟!

太阳温暖了地球

多罗茜和蒂姆的温度记录表

	早晨	下午
星期一	18℃	23℃
星期二	22℃	27℃
星期三	21℃	24℃
星期四	23℃	28℃

问:为什么下午的气温通常会高一些?

答:因为太阳已经晒了快一整天了。

推

这几天，我们正在学习有关天气方面的知识。

现在，我们教室里的几乎所有东西，不是和雨或雪有关，就是和太阳或风有关。

而我们每个同学，也每天忙着做有关天气的报告，同时还要从收音机里收听天气预报。

每日数学题

每日生字

太阳　　风
雨　　　雪
小雨　　霜
冰雹　　飓风
不要　　忘记
你的　　雨伞

在我以前的学校，根本不做这样的作业！

我以前学校的老师也不会穿成这个样子。

风向风速仪
测量风向和风速

现在播报天气预报……

美丽的雪花
——麦克和凯莎共同制作

天气预报小实验

气象超人

风向袋

风和日丽　冰雹　雨　雪

地球被一层"空气毯子"包裹着！
——蒂姆的笔记

地球——大气层

★地球外面的大气层像一条毯子一样包裹着地球，它有好几百千米厚，。

★大部分的天气现象都发生在对流层。对流层离地面最近，它的厚度不一，在地球两极上空为8千米，在赤道上空为17千米。

大气层

高度（千米）

110 暖层

80 中间层

50 平流层

10 对流层

地球

大部分的天气现象
出现在对流层

所以，当这天早上，卷毛老师突然宣布："今天的天气最适合参观气象观测站！"我们一点儿也不感到惊讶！

我们会和天气预报员见面，学习一些关于大气层的知识！

卷毛老师说，我们要想认识天气，就必须先了解空气。

我们还要了解水。

可我看不到空气啊！

空气

空气，是由很多种看不见的气体混合而成的。
——雪莉的笔记

空气有重量！
——拉尔夫的笔记

一只吹胀的气球
比瘪着的气球重

空气里含有水分
——旺达的笔记

第一天 第二天 第三天

当水杯里的水蒸发时，水分子便跑到空气里去了

8

没等我们做完空气实验呢，卷毛老师就催促我们赶紧跟她一起出发。

唉，她就是这么说干就干，也不管我们是否准备好了！

弗瑞丝老师，对不起，我现在还不能走，我得削完这支铅笔。

可是，阿诺，我们可能会有一次真正的冒险哟！

要是那样的话，那我还是多削几支铅笔吧！

各位听众，请注意天气变化……

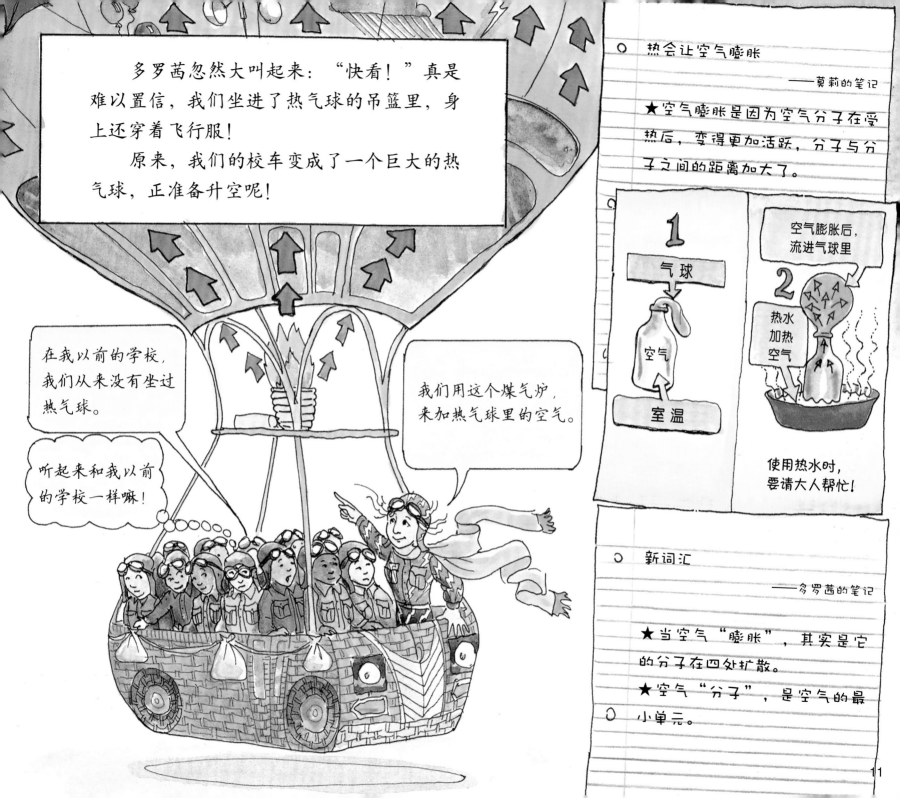

多罗茜忽然大叫起来："快看！"真是难以置信，我们坐进了热气球的吊篮里，身上还穿着飞行服！

原来，我们的校车变成了一个巨大的热气球，正准备升空呢！

在我以前的学校，我们从来没有坐过热气球。

听起来和我以前的学校一样嘛！

我们用这个煤气炉，来加热气球里的空气。

热会让空气膨胀

——莫莉的笔记

★空气膨胀是因为空气分子在受热后，变得更加活跃，分子与分子之间的距离加大了。

1
气球
空气
室温

空气膨胀后，流进气球里

2
热水加热空气

使用热水时，要请大人帮忙！

新词汇

——多罗茜的笔记

★当空气"膨胀"，其实是它的分子在四处扩散。

★空气"分子"，是空气的最小单元。

观察热空气上升

——阿历克斯和瑞秋的笔记

把纸剪成螺旋状。

用针线在中心点穿过。

灯泡会把空气加热。

热空气上升，使螺旋纸条旋转起来。

热空气为什么会上升？

——卡洛斯的笔记

★ 热空气比冷空气轻，所以它"飘浮"在冷空气上面，就像棉花糖会浮在热可可奶上面一样。

我们开始上升了。卷毛老师说："同学们，我已经讲过了吧？热空气会上升。"

同学们，在世界各地，气象学家每天都会放出气象探测气球，用来观测气象。

气象探测气球

我们在上升！

哇！

我们的热气球升得越来越高。

尽管热气球里充满了热空气，但我们还是感到身边的空气在变冷。

我们赶紧穿上了保暖的夹克。

要升空，最好多穿点！

——菲比的笔记

好冷啊！

★越到高处，气温会越低——高处不胜寒！

这上面好冷啊！

阿诺，你不恐高吧？

收音机竟然在对我说话！

真是奇怪，它怎么知道我的名字？

我就知道，今天应该待在家里。

看不见，摸不着，
不香不臭没味道。
说它宝贵到处有，
动物植物离不了。
猜猜是什么？

空气！

一个和天气有关的词

——多罗茜的笔记

★我们通常说，水蒸气遇冷会"凝结"成小水珠。凝结是指，当水蒸气遇冷的时候，水蒸气里的水分子就会聚积在一起，形成液态的水滴。

卷毛老师还在讲："热空气从地面升起时，带有大量的水分子。热空气越升越高，气温也逐渐降低，水蒸气遇冷后凝结成小水珠，浮在空中，就成了云。"

阿诺，你带雨衣了吗?

快告诉我，这不是真的……

14

雨云为什么会变成乌云？

——格雷的笔记

★雨云中含有许多冰晶和又大又重的水滴，它们挡住了阳光，这时候的云看上去比较暗淡，就是乌云。

人工降雨

——阿曼达和阿诺的笔记

冰
铁皮罐
夹子
隔热手套
水滴

用炉子的时候……

记得一定要请大人帮忙。

在云里面，小水滴逐渐聚积在一起。慢慢地，水滴越变越大，当它们变得很重时，就会往下滴落。

一滴雨水可是由成千上万颗小水滴组成的。

大多数班级在下雨天都会待在教室里。

卷毛老师的班可是个例外！

我们往下看的时候，见几位气象员还在冒雨工作着。
他们看不见我们，但我们能听到他们的说话声。其中一位说："真希望那位老师能知道，我们发布了飓风预报。"

阿诺，快来听飓风预报！

没听到，我没听到……

赤道是什么？

——卡洛斯的笔记

★赤道是一条假想出来的线，在地球中间，把地球等分成南北两半。

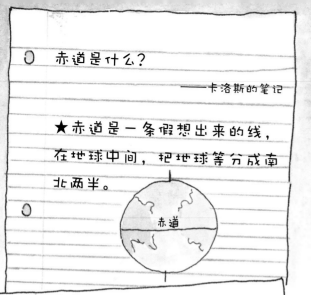

赤道

为什么赤道一带很热？

——麦克的笔记

★地球是倾斜着旋转的，太阳光总会照射在地球的中间地带，也就是赤道带。这就意味着赤道地区终年受太阳光照射，没有寒冷的冬天。

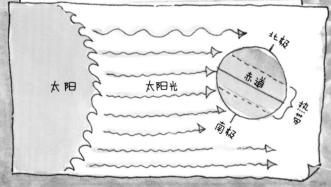

太阳　太阳光　北极　赤道　南极

卷毛老师真是粗心大意啊，她没有觉察出即将到来的危险，继续加大火力。这样一来，更多的热空气冲进热气球里，热气球又上升了。

当我们升到云的上面时，风开始把我们往南吹。没多久，我们便飞出了几千千米远。

卷毛老师说，我们正处在赤道以北800多千米的热带海洋上空。

哇，快看那片海！

我们可以去游泳！

还可以去冲浪！

也可以去潜水！

18

在我们下面，蓝绿色的海浪闪着光芒。在一座沙滩环绕的小岛上，阳光照射在沙滩上，一排排棕榈树迎风招展，把这个小岛装扮成了一个度假天堂。可是，卷毛老师却说："同学们，我们已经来到了世界上著名的飓风发源地！"

同学们，几乎所有的飓风都是在温暖的热带海洋上空形成的。

我听说飓风可是很危险的呀！

所以卷毛老师才会带我们来啊！

她总是这样！

喂，鲍伯！

怎么了？格洛丽亚？

飓风从哪里开始？
——蒂姆的笔记

飓风是在靠近赤道的热带海域上空形成的

北美洲　欧洲　亚洲
非洲
南美洲
大洋洲
赤道

🌀 飓风
← 飓风的路线

什么时候是飓风季？

——瑞秋的笔记

★ 大多数的飓风形成于夏末或初秋，因为这时候的热带海洋温度最高。

★ 海水温度越高，形成飓风的强度就会越强。

卷毛老师说："同学们，记住了吧，热空气从海面上升，水蒸气会在空中凝结形成云。"

下面的热空气，从四面八方不断涌上来，形成一股上升的气流。在上升气流的中心，一股下沉的气流也形成了，我们开始跟着它下沉。

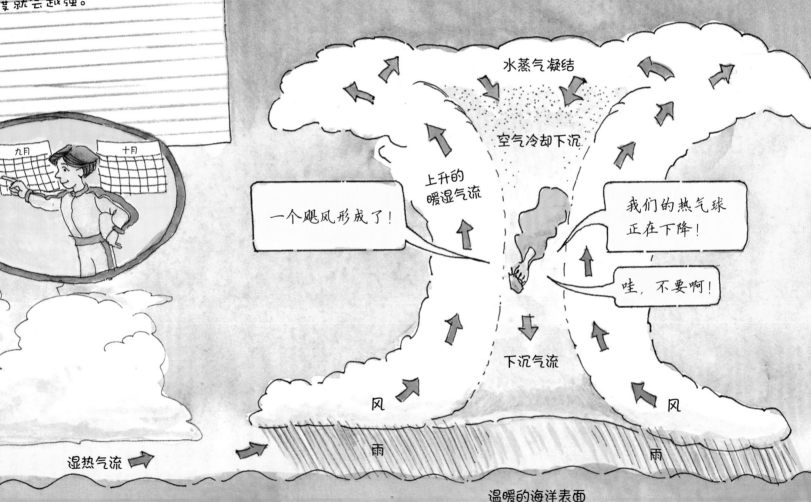

温暖的海洋表面

20

卷毛老师突然叫了起来："哦，天哪！热气球一定是破了。"

没错，热空气一直在往外跑，气球急速坠落……

"赶快跳出气球！"卷毛老师大喊着，跳出了气球，我们紧跟着一个一个跳了出来。不过，我们马上意识到这是一个错误。

所有热带风暴都会变成飓风吗？

——阿曼达的笔记

★不是的，全世界每年会产生100多个热带风暴，其中大约只有60个左右会形成飓风。

★而这些飓风中，也只有少数几个能到达人类居住的地方。

阿诺，快往下跳！

我不敢！

同学们，快跟上！

21

什么使飓风旋转着运动？

——阿历克斯的笔记

★风一开始是直直地吹，但是由于地球围绕地轴旋转的缘故，风后来也就跟着转弯，旋转起来。

风向发生转变

地球自转方向 →

地轴

★风速越快，风转弯的幅度就越大。飓风的风速非常快，所以风向转弯、转弯再转弯，直到转成一个旋涡。

在风的吹动下，云变成了一个巨大的旋涡。

卷毛老师喊道："这个风暴正在变成典型的飓风，同学们，是不是很神奇啊？"

救命啊！

我们一直在转圈！

我都快转晕了！

不只是神奇，这简直就是恐怖！

我们被卷进了风暴圈，便不由自主地随着旋风一圈一圈地旋转起来。这阵大旋风就是飓风。

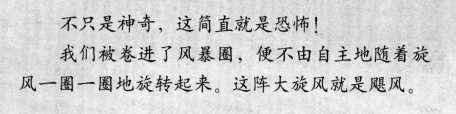

飓风有多大？

——约翰的笔记

★ 每一个飓风大约有16千米高，500～1000千米宽！

一次典型的飓风，从形成到消失，大约经历十天左右时间！

各位听众，我们将随时为您播报飓风的最新动态。

这破收音机，赶快没电吧！

我们在飓风中的位置

23

闪电就是电！
——拉尔夫的笔记

★云会带电，一旦电压达到一定程度时，电荷就会从一处跳向另一处，产生强烈的放电现象。这就是我们看到的闪电。

闪电非常热！
——凯莎的笔记

★一道闪电的温度高达28000摄氏度，比太阳表面的温度要高5倍呢！

在我们四周的云团里，电光闪闪。

我们以为这下完蛋了。就在这时，那辆老校车又出现了，它变成了一架气象飞机——专门探测飓风的那种。

我们从紧急滑道翻滚着掉进了飞机里……也就是校车里……嗯……我们就先把它当飞机好啦！

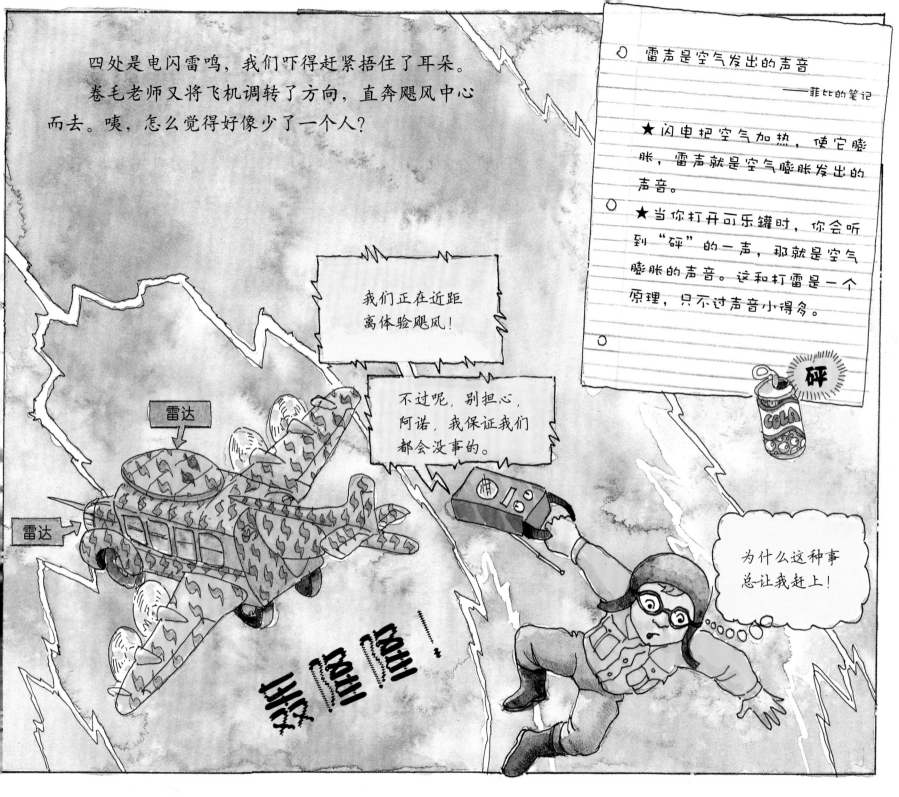

飓风内部的风速有多快?

——卡门的笔记

★ 飓风外圈：65千米 / 小时
★ 飓风中圈：120千米 / 小时
★ 飓风内圈：200~240千米 / 小时

小朋友，风眼墙的风速有多快呢?

我们越往里飞，风速越快!

最后，我们终于来到飓风的内圈，进入了风眼墙——一圈环绕飓风中心的厚云环。

风眼墙一带的风速最强，雨势最大，瓢泼大雨倾泻而下!

风眼墙是飓风中风势和雨势最猛烈的地方!

同学们，我们遇到涡流了!

空气被严重扰乱，就会产生涡流。

我也被严重扰乱了!

风眼墙

风眼

阿诺

我们在飓风中的位置

四周围绕着很多空气柱，也叫"热塔"或"烟囱"。它们不断从海洋里吸收更多湿热的空气。空气中的热能为飓风增添了能量，使其威力越来越强大。

　　飞机开始摇摆，我们也跟着摇晃了起来！

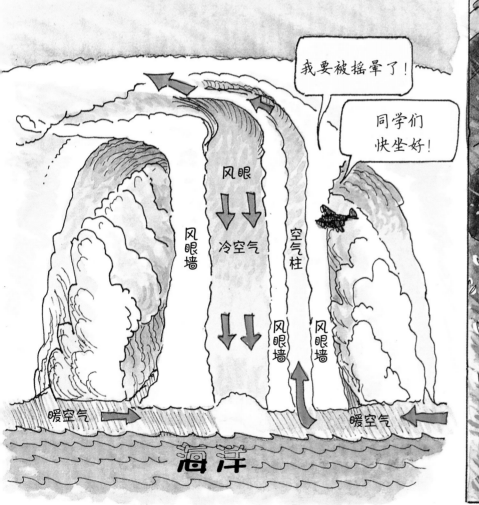

飓风的风眼里很平静

——卡洛斯的笔记

★飓风中猛烈旋转的风，不会进入飓风的中心。

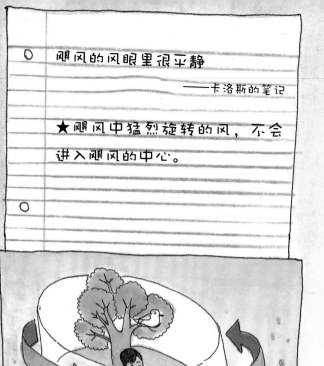

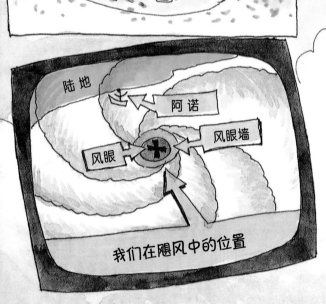

陆地

阿诺

风眼墙

风眼

我们在飓风中的位置

突然间，一切都停了下来。

卷毛老师大声宣布："同学们，我们已经进入了风眼，也就是飓风的中心！"

下面的海浪依然波涛汹涌，外面的风还在怒吼，但风眼内只有微风轻轻吹拂着。

头顶上的天空是蔚蓝的一片，阳光也很明媚。

我们终于松了一口气，开始享受眼前的一切。

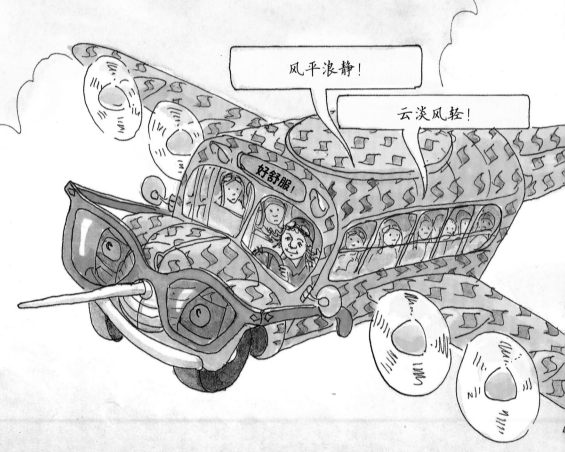

我们又飞了大约50千米，穿过了风眼。卷毛老师大喊一声："注意啦，现在我们要飞进对面的风眼墙了。"

我们齐声喊："不要！"可是，飞机已经飞了过去，又回到飓风最猛的区域里了。

○ 为什么风吹不进风眼里？

——雪莉的笔记

★ 风围着风眼旋转，却吹不进去，因为它被同样大小的力推了出去。这就好比两个人手拉手转圈圈，总有一股往外推你的力量。

飓风是怎么移动的？

——旺达的笔记

★飓风刚开始移动时，速度通常比较缓慢——时速约为16～30千米/小时。

★随着风暴逐渐向北移动，风速会增加到80千米/小时以上！

★飓风每天可移动好几百千米。

飓风哪个部分风力最强？

——弗洛丽的笔记

★飓风的右前方风力最强。因为风是旋转着向岸边移动的，它旋转的方向和它移动的方向是一致的，这就增强了这个方向上的风力。

整个飓风从海上向陆地移动，我们也一路随着它前进！

"大家朝陆地的方向看，飓风右前方风势最强劲，雨势最猛烈，海浪也最高。"卷毛老师说。理所当然，卷毛老师就带我们直奔那个区域了。

飓风的移动方式就像旋转的陀螺。

陀螺有两种运动方式——

一种是旋转……

一种是移动。

限速 40

最严重的灾害将发生在这里

陆地

风暴的右前方

右后方

风眼

风暴的左前方

左后方

风暴向前运动

飓风的过去和现在
——拉尔夫的笔记

★ 在过去，飓风造成的损失很小。现在，沿海地区建设得越来越好，所以一旦飓风来袭，就会有更多的建筑物被摧毁。

★ 过去，很多人因为不知道飓风何时来袭而丧生。现在，天气预报可提前发出预警。如果能够及时撤离，就会避免损失和伤亡。

飓风登陆了，强风把树木连根拔起，将屋顶直接掀翻。同时，飓风还将一道道水墙推向岸边，这道水墙又叫做"风暴潮"。风暴潮到来的时候，巨浪滔天，海面会比平时高出3米多。

看到巨大的海浪不断地涌向海岸，风暴潮横扫海岸，我们都被吓坏了。

比起眼前的情景，卷毛老师的话更让我们感到恐慌："我们快没油了！"我们简直吓得说不出话来了。

可以肯定的是，飞机正一点点地下坠。

飞机掉进海里时，我们发现阿诺正站在附近的屋顶上朝我们挥手呢！

那个小孩看起来很眼熟啊！

那架飞机看起来很眼熟啊！

也许我们还能去帮帮别人呢！

阿诺，我们必须马上撤离！

龙卷风是什么?
——阿诺的笔记

★龙卷风是一种旋转的漏斗状强风涡旋,通常从雷雨云底部伸向地面。

15000米高

巨大的雷雨云

我们在巨浪里飘摇不定,眼看就要被冲走了,还好,阿诺及时登上了飞机。

海水已经漫到了窗边,飞机马上就要沉没了!这时,我们看到一团黑黑的、漏斗一样的东西正在靠近。

我掉进海里了……

我们飞进了风眼……

一艘渔船救了我……

风眼墙最可怕了……

我以为这次一定完蛋了!

我们以为这次一定完蛋了!

这次我们真的要完蛋了!

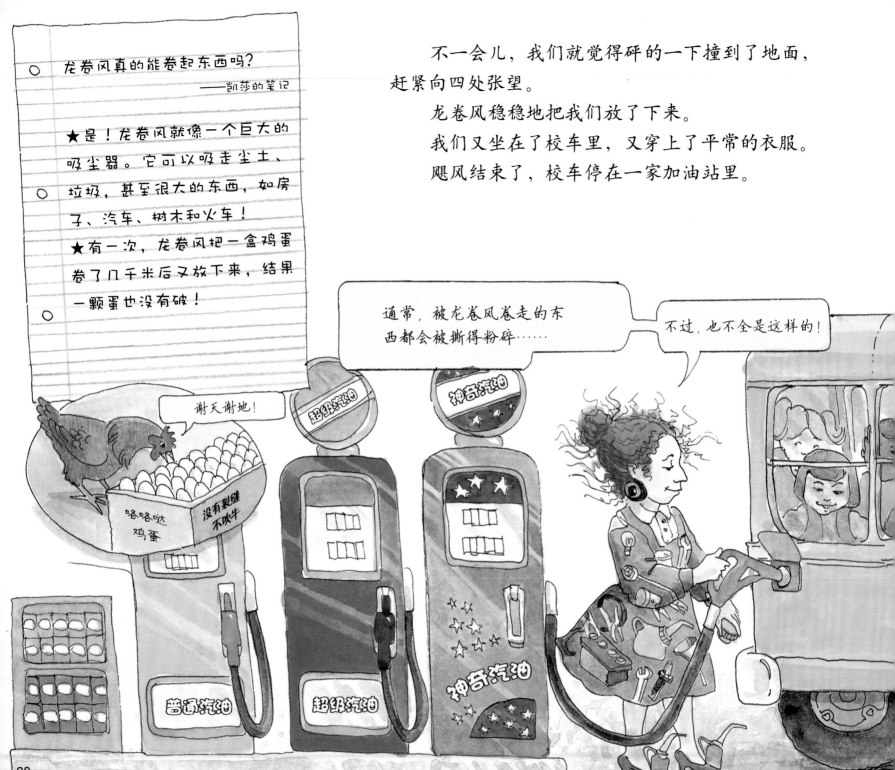

龙卷风真的能卷起东西吗?
——凯莎的笔记

★是!龙卷风就像一个巨大的吸尘器。它可以吸走尘土、垃圾,甚至很大的东西,如房子、汽车、树木和火车!

★有一次,龙卷风把一盒鸡蛋卷了几千米后又放下来,结果一颗蛋也没有破!

不一会儿,我们就觉得砰的一下撞到了地面,赶紧向四处张望。

龙卷风稳稳地把我们放了下来。

我们又坐在了校车里,又穿上了平常的衣服。

飓风结束了,校车停在一家加油站里。

卷毛老师给油箱加满了油，然后开着车上路了，就像什么事都没发生过一样。

她说："同学们，按照原定计划，我们这就去参观气象观测站！"

最后，我们坐着校车回到了学校，完成了我们的气象报告。

经过这次校外教学之后，我们需要时间放松一下。卷毛老师说我们可以举办一个小聚会。我们设计了很多好玩的游戏，一起疯狂地跳舞，还拼命吃美味的小吃。

这一刻，我们谁也不会去想，卷毛老师下一次的校外教学会是什么样子。

我们收到的信······

致《神奇校车》的编辑：
    你不应该说校车可以变成热气球或是气象飞机，那是绝不可能发生的。
                你的朋友 山姆

异国情调的布鲁克林

亲爱的乔安娜：
    收音机是不能和人说话的。
                芭芭拉

请蒲公英童书馆转交给作者乔安娜·柯尔

温馨的问候
来自阳光明媚的东奥兰治

亲爱的乔安娜和布鲁斯：
    阅读完这本关于飓风的书，觉得挺有趣的，可真要身处飓风之中，可能就不好玩了！因为我家住在安德鲁飓风区，所以我知道，那真的很恐怖！
                基恩

亲爱的布鲁斯：
    收音机是不会跳舞的。
                琼

请蒲公英童书馆转交给画者布鲁斯·迪根

亲爱的阿诺：
    在你上校外课期间，飓风登陆了。不过大部分的飓风跑到了远离陆地的海洋深处，不会危害到人的生命和财产安全。
                你的朋友，
                气象学家阿尔

    渔船如果遭遇了强飓风，是不可能生还的。
                海岸巡逻员

亲爱的布鲁斯：

　　如果阿诺真的从那么高的地方掉到海里，那他需要紧急救护！

你的医生

亲爱的乔安娜：

　　在弗瑞丝老师的校外教学中发生的事情，对孩子们来说实在是太危险了！下一次还是让他们待在家里吧。

你的妈妈

康涅狄格州的冬天

亲爱的弗瑞丝老师：

　　我们觉得你们班上的同学应该全部转学到菲比以前的学校。安全胜过一切。

安全学校的学生们

蒲公英童书馆
图画书晚会

神奇校车信箱

邮包

致所有读者：

　　本书中有些事情是虚构的！但所有的科学知识可都是真的！

乔安娜和布鲁斯